Diolch

Dw i wedi cael help y bobl yma: Dylan Iorwerth a **Lingo Newydd**, Elwyn Hughes, Dewi Morris Jones, Bethan Mair a Bryan James o Wasg Gomer, Bethan Gwanas, Mererid Hopwood, Andras Millward, Mihangel Morgan, Mumph, Linda Carlisle, Nesta Ellis, Jan Harris, Marlis Jones, Mererid Thomas, Pam Thomas ac Alan Whittick. Diolch yn fawr iawn iddyn nhw i gyd.

Meleri Wyn James

HELO A CHROESO I *STORI A MWY*!

Dydy dysgu Cymraeg ddim yn waith caled, bob amser. Mae e'n hwyl hefyd!

Dyma gyfrol o straeon – a mwy – i bobl sy'n dysgu Cymraeg ers dwy neu dair blynedd. Mae rhywbeth yma i blesio pawb, gobeithio – straeon, posau, croesair, deialogau, cerdd, cartwnau a ffeithiau, ac mae'r gyfrol mewn iaith syml. Mae geirfa ar bob tudalen i'ch helpu chi i ddarllen.

Daeth y syniad o un o is-bwyllgorau Bwrdd yr Iaith Gymraeg. Roedden nhw eisiau gweld llyfr diddorol i bobl sy'n dechrau darllen Cymraeg.

Cynhaliodd Cyngor Llyfrau Cymru gwrs i bobl oedd eisiau ysgrifennu i ddysgwyr. Roedd saith o bobl ar y cwrs. Maen nhw i gyd wedi ysgrifennu yn y gyfrol yma. Mae rhai darnau gan awduron adnabyddus, hefyd.

Mae peth o'r deunydd – y darnau di-enw – yn dod o **Lingo Newydd**, y cylchgrawn i bobl sy'n dysgu Cymraeg. Mae'r cylchgrawn yn cyhoeddi deunydd difyr a diddorol i ddysgwyr ers Awst 1999.

Darllenwch. Yn fwy pwysig – mwynhewch!

MELERI WYN JAMES

---

cyfrol	*volume*	Bwrdd yr Iaith Gymraeg	*Welsh Language Board*
sy'n dysgu	*who are learning*	adnabyddus	*well known*
pwyllgor	*committee*	deunydd	*material*
		di-enw	*anonymous*

CYNNWYS

MYND I'R DOSBARTH NOS

Mae Andy'n nerfus . . .

Andy: Sut wyt ti? . . . Sut wyt ti? . . . Sut wyt ti? Iawn. Dw i'n iawn. Dw i'n iawn diolch. Mae hi'n oer heno. Mae hi'n oer heno. Ydy, ac mae hi'n wlyb . . . ac mae hi'n stormus . . . ac mae hi'n bwrw glaw.

Catrin: Beth wyt ti'n wneud?

Andy: Dw i'n siarad.

Catrin: Gyda phwy?

Andy: Neb. Dw i'n mynd i'r dosbarth Cymraeg. Dw i'n ymarfer.

Catrin: Wyt ti'n iawn?

Andy: Dw i'n nerfus.

Catrin: Ond Andy – ti ydy'r tiwtor!

---

ymarfer *(to) practise*

Arwr

Roedd Gwen yn sefyll ar y platfform. Roedd hi'n teimlo'n unig. Roedd hi'n teimlo'n unig iawn.

Roedd gan bawb ond hi gariad.

Roedd hi'n medru gweld dwy linell syth y rheilffordd yn ymestyn yn bell, bell o'i blaen. Roedd y ddwy linell yn mynd yn un cyn diflannu rownd y tro.

Gwelodd olau bach yn dod i'r golwg. Daeth y golau yn nes ac yn nes. I Gwen roedd y golau fel wyneb. Roedd o'n gwenu arni hi. Roedd o'n garedig.

Wyneb marchog dewr oedd o. Roedd y marchog yn brysio ati hi. Roedd hi'n clywed sŵn dillad metel y marchog.

Yn sydyn, neidiodd i'w freichiau.

Marlis Jones

---

unig	*lonely*	nes	*closer*
medru = gallu	*(to) be able to*	gwenu	*(to) smile*
llinell	*line*	caredig	*kind*
ymestyn yn bell, bell o'i blaen	*stretching far, far in front of her*	marchog	*knight*
		dewr	*brave*
		brysio	*(to) rush*
diflannu	*(to) disappear*	dillad metel	*metallic clothes (armour)*
i'r golwg	*into sight*		

STORI SANTES DWYNWEN

Mae hi'n edrych arno fe.
Mae hi'n gweld y dyn mae hi eisiau.
Mae e'n olygus ac yn gryf.
Mae e'n garedig ac yn sensitif.
Mae llygaid brown dwfn gyda fe.
Mae ei lygaid yn edrych yn ddwfn i'w chalon.

Mae e'n edrych arni hi.
Mae e'n gweld y ferch mae e eisiau.
Mae hi'n hardd ac yn denau.
Mae hi'n hwyl ac yn llawn hiwmor.
Mae ei llygaid glas yn gofyn iddo fe fynd â hi i'r gwely.

Mae e'n ei charu hi.
Mae hi'n ei garu fe.
Maen nhw mewn cariad – y peth go iawn.
Ac maen nhw'n briod …
. . . ond y drasiedi ydy
. . . dydyn nhw ddim yn briod â'i gilydd.

Linda Carlisle

---

dwfn	*deep*	y peth go iawn	*the real thing*
hwyl	*fun*	trasiedi	*tragedy*
llawn hiwmor	*full of humour*	â'i gilydd	*to each other*

ONDD JUDY, RWYT TI'N TAFLU
20 MLYNEDD O BRIODAS
I FFWRDD

TWYLLO

Carol: Pam wyt ti'n edrych yn drist?

Emily: Dw i wedi bod yn 'Weight Watchers'.

Carol: Dwyt ti ddim wedi colli pwysau?

Emily: Nac ydw. Dw i wedi rhoi hanner stôn ymlaen.

Carol: Paid â phoeni. Tyrd i ddechrau ar dy ddeiet unwaith eto.

Emily: Iawn.

Carol: Dw i wedi gwneud salad blasus i swper.

Emily: Gwych – a beth sy i bwdin?

TWYLLO ETO

Mam: Beth wyt ti'n wneud, Dewi?

Dewi: Dim byd Mam.

Mam: Ond mae llond llaw o Smarties gen ti.

Dewi: Dw i'n gwybod, Mam.

Mam: Ond y bore 'ma, wnes i ddweud 'Dim mwy o Smarties!

Dewi: Dw i'n gwybod Mam.

Mam: Beth wyt ti'n wneud felly?

Dewi: Dim ond edrych ar y lliwiau, Mam!

Jan Harris

---

twyllo	*(to) cheat*	blasus	*tasty*
rhoi hanner stôn ymlaen	*(to) gain half a stone*	llond llaw	*handful*
tyrd = dere	*come on*	dim mwy	*no more*

ANRHEG I NAIN

Roedd Eleri yn mynd i weld Nain bob wythnos. Roedd Nain yn hen iawn. Doedd Nain ddim yn nabod Eleri bob tro.

'Dw i wedi dod â blodau i chi, Nain,' meddai Eleri.

Rhoddodd Eleri y blodau mewn fâs ar y bwrdd bach.

Ar ôl i Eleri fynd, roedd Nain yn edrych o gwmpas y stafell. Gwelodd hi fag plastig ar y bwrdd. Roedd rhyw ddynes ddieithr wedi bod yn ei gweld hi. Roedd y ddynes ddieithr wedi gadael bag plastig ar y bwrdd.

Roedd yr haul yn tywynnu ar y bag plastig.

I'r hen wraig roedd y plastig yn hardd. Yn y bag plastig roedd hi'n gallu gweld dŵr nant fach. Roedd nant fach yn ymyl ei chartre hi erstalwm. Cwm Gwyn oedd enw ei chartre. Roedd hi'n hoffi Cwm Gwyn. Roedd hi eisiau cadw Cwm Gwyn efo hi.

Roedd hi eisiau cadw'r nant fach. Ond sut?

---

nabod	*(to) recognise*	tywynnu	*(to) shine*
bob tro	*every time*	nant	*stream*
fâs	*vase*	yn ymyl	*nearby*
dynes ddieithr	*stranger (lit. strange woman)*	erstalwm	*in the olden days*

Gwelodd hi'r fâs ar y bwrdd. Roedd blodau yn y fâs. Doedd yr hen wraig ddim yn hoffi'r blodau. Roedd yn well gyda hi ddŵr y nant. Taflodd hi'r blodau i'r bin sbwriel, a rhoddodd hi nant Cae Gwyn yn y fâs o flaen y ffenest.

Marlis Jones

---

roedd yn well gyda hi — *she preferred*

Diwedd y daith

Roedd yr hen ddynes yn cerdded ar hyd y lôn. Roedd yr haul yn disgleirio trwy'r coed ac roedd yr adar yn canu. Roedd y byd yn hardd ac roedd hi'n hapus.

Ar ôl ychydig, roedd mwy o goed wrth ochr y lôn. Roedden nhw'n cau'r haul allan ac roedden nhw'n gwneud yr awyr yn fwy oer a llaith. Ond doedd hi ddim yn teimlo'n anghyfforddus.

Wedyn, cyrhaeddodd hi ran o'r lôn lle roedd y coed yn llai a'r golau yn fwy eto. Roedd popeth yn glir. Doedd hi ddim wedi gweld pethau mor glir ers blynyddoedd.

Daeth hi i gyffordd lle roedd y lôn yn rhannu. Roedd un ffordd yn mynd i'r chwith lle byddai'r coed yn gofalu amdani hi. Roedd y llall yn mynd i'r dde ac allan i'r golau.

Doedd hi ddim wedi bod y ffordd yma o'r blaen a doedd dim arwydd i'w helpu hi. Ond roedd hi'n gwybod bod y cyfeiriad yn iawn. Roedd hi'n fodlon gyda'i dewis. Roedd y daith wedi bod yn hir, ac roedd hi'n braf cael ymlacio.

---

ar hyd y lôn	*along the lane*	rhannu	*(to) part*
disgleirio	*(to) shine*	arwydd	*sign*
llaith	*damp*	cyfeiriad	*direction*
anghyfforddus	*uncomfortable*	bodlon	*content*
cyffordd	*junction*		

Aeth hi i'r chwith, i gysgod y coed. Doedd hi ddim yn poeni am gerdded ymlaen i ben y daith.

'Mae'n ddrwg gen i, Mrs Davies,' meddai'r nyrs. 'Mae eich mam chi wedi mynd.'

Linda Carlisle

---

cysgod *shade, shadow*

LLANFAIR P.G.

Llanfairpwllgwyngyllgogerychwyrndrobwll-
llantysiliogogogoch.

Wyddoch chi?

* Mae Llanfairpwllgwyngyll ar Ynys Môn.
* Mae 51 llythyren yn yr enw llawn.
* Dyma'r enw lle hira ym Mhrydain.
* Jôc ydy'r enw. Roedd rhywun yn cael hwyl efo enwau Cymraeg.
* Dydy pobl leol ddim yn dweud yr enw i gyd. Maen nhw'n dweud Llanfair PG.
* Mae Jonsi ar Radio Cymru yn cael hwyl efo'r enw hefyd. Mae'n o'n dweud: Llanfair PG Tips.

Beth ydy ystyr yr enw?

Yn Saesneg:

'The Church of St Mary in the hollow of white hazel near the rapid whirlpool by the church of St Tysilio of the red cave.'

---

wyddoch chi? *do you know?*
llythyren *letter (of the alphabet)*
beth ydy ystyr? *what's the meaning of?*

ANRHEGION MALCOLM

Mae Siân yn caru Malcolm yn fawr iawn. Mae hi'n hoffi gwylio Malcolm yn dawnsio i gerddoriaeth Abba. Mae hi'n hoffi clywed Malcolm yn hymian pan mae o'n darllen llyfr ceir. Ac mae hi'n hoffi ei bersawr eillio. Ond mae un peth dydy hi ddim yn hoffi – dydy hi ddim yn hoffi traed oer Malcolm!

Pa anrhegion mae Siân wedi eu prynu i Malcolm? Mae pump i gyd:

Trôns
Tedi bach 'Dw i'n dy garu di'n fawr'
Cryno Ddisg Abba
Potelaid o whisgi
Llyfr *Ceir Gwych*
Tei
Fideo *Pobol y Cwm*
Persawr eillio
Sanau

[Mae'r atebion ar dudalen 70.]

hymian	*(to) hum*	trôns	*underpants*
persawr eillio	*aftershave*		

GWERTHU PERSAWR DYNION

Gwerthwraig:	Esgusodwch fi, fasech chi'n hoffi trio'r persawr yma, Syr?
Dyn 1:	Na!
Gwerthwraig:	Na? Iawn, dim problem. A chi, Syr?
Dyn 2:	Dim diolch.
Gwerthwraig:	Syr, fasech chi'n hoffi trio'r persawr? Ogla newydd.
Dyn 3:	Ych a fi! Ogla ofnadwy!
Gwerthwraig:	Dim problem. A Madam, fasai'ch gŵr chi'n hoffi trio'r persawr yma? O! Mae'n ddrwg gen i. Fasai'ch tad chi'n hoffi trio'r persawr newydd?
Dynes 1:	Na, dim diolch.
Gwerthwraig:	A chi, madam. Fasai'ch gŵr chi'n hoffi trio'r persawr yma?
Dynes 2:	Na. Mae gynno fo alergedd.
Gwerthwraig:	Alergedd i bersawr?
Dynes 2:	Na. Mae gynno fo alergedd i wario pres!

---

persawr	*perfume*	alergedd	*allergy*
gwerthwraig	*saleswoman*	gwario pres = gwario arian	*(to) spend money*
ogla = a rogl = gwynt	*smell*		

Gwerthwraig: A chi, Syr? Fasech chi'n hoffi trio'r persawr yma?

Gŵr dynes 2: Na, dim diolch, achos dw i'n briod.

Gwerthwraig: Achos dach chi'n briod?

Gŵr dynes 2: Ie. Dach chi ddim yn rhoi caws yn y trap ar ôl dal llygoden!

Dynes 2: Hy!

Mererid Thomas

---

dal *(to) catch*

PRYDER ENID

Roedd yr haul yn machlud ac roedd yr awyr yn goch fel gwaed. Roedd Enid yn edrych drwy'r ffenest. Roedd hi'n noson braf. Roedd hi'n dawel fel y nos, ond am y defaid yn brefu'n dawel.

Ond roedd Enid yn bryderus iawn. Pam oedd Enid yn bryderus? Doedd hi ddim yn gweld y noson braf: roedd hi'n gweld y gwaed yn yr awyr. Yn sydyn roedd cnoc ar y drws. Neidiodd Enid. Yn nerfus iawn gofynnodd,

'Pwy sy 'na?'

'Wil sy 'ma. Wyt ti'n iawn?'

Agorodd Enid y drws yn araf.

'Beth sy'n bod, Enid? Rwyt ti'n crynu.'

Eisteddodd Enid ar y gadair. Roedd hi'n crio. Roedd ei phen yn ei dwylo ac roedd hi'n crynu.

Yn bryderus gofynnodd Wil,

'Enid fach, beth sy'n bod – pam wyt ti'n crynu?'

Dim ateb. Rhoddodd Wil ei fraich am Enid a gofynnodd eto,

'Beth sy'n bod, Enid fach?'

---

pryder	*anxiety, worry*	brefu	*(to) bleat*
machlud	*setting (of sun)*	yn bryderus	*anxious, worried*
awyr	*sky*	crynu	*(to) shake*
gwaed	*blood*		

Atebodd Enid yn ddistaw.

'Mae Pero yn y cwt.'

Pero oedd ci Enid, ac roedd Wil wedi clywed Pero'n cyfarth wrth basio'r cwt.

'Dw i'n gwybod,' oedd ateb Wil, 'ond pam wyt ti'n crio?'

'Mae gwaed ar geg Pero,' oedd ateb Enid, ac roedd hi'n ochneidio.

'O nefoedd fawr!' oedd ateb Wil.

Nesta Ellis

---

cwt	*kennel*	ochneidio	*(to) sigh*
cyfarth	*(to) bark*	nefoedd fawr	*heavens above*

WPS! CAMGYMERIAD!

Mae Ann Obeithiol wedi ysgrifennu darn arbennig. Ond mae hi wedi gwneud camgymeriadau. Allwch chi weld wyth o eiriau anghywir?

Roedd Nesta'n cael ei phen-blwydd. Roedd hi'n edrych ymlaen yn fawd. Roedd Eric, ei chariad, yn mynd â hi am swper. Roedd Nesta wrth ei bodd! Doedd Eric ddim yn mynd â hi am rwyd yn aml. Roedd bwyta allan yn rhy ddrud!

Roedd Nesta eisiau mynd i'r bwystfil newydd. Roedd o'n lle crand. Roedd yn rhaid ffonio i drefnu hwrdd.

Ond roedd y bwyty'n llawn. Roedd Eric wedi anghofio ffonio! Yr unig ddewis arall oedd y siop sglodion. Roedd Eric wrth ei fodd gyda sglodion a chysgod. Rhwbiodd ei fol a thyfu ei wefusau.

---

camgymeriad,-au	*mistake,-s*	hwrdd	*ram*
anghywir	*wrong*	bwyty	*restaurant*
bawd	*thumb*	cysgod	*shadow*
rhwyd	*net*	tyfu	*to grow*
bwystfil	*monster*	gwefus-,au	*lip-,s*
crand	*posh*		

Cerddodd o i mewn i'r siop sglodion. 'Rwyt ti'n cael dy ben-blwydd,' meddai. 'Felly gawn ni eistedd i lawr i fwyta!'

Roedd Nesta'n berwi fel olew poeth.

'Dwyt ti ddim yn bwyta, Nesta!' meddai Eric yn bryderus wedyn. Roedd o wedi palu'n ddrud am y pysgodyn.

'Nac ydw!' meddai Nesta a rhydu allan o'r siop. 'Mae yna ddigon o bysgod yn y môr ac rwyt ti wedi cael dy *chips*!'

[Mae'r atebion ar dudalen 70.]

---

olew poeth	*hot oil*	palu	*(to) dig*
pryderus	*worried*	rhydu	*(to) rust*

DIM OND EISIAU SIARAD YDW I!

MYND I'R SIOE

Golygfa: Ar y ffordd y tu allan i'r pentre.
Cymeriadau: Rolant a Huw – dau gymydog ar y ffordd i sioe y pentre.

Rolant: Bore da, Huw.
Huw: Bore da, Rolant.
Rolant: Sut wyt ti heddiw?
Huw: Da iawn diolch, Rolant. Sut wyt ti?
Rolant: Dw i'n dda iawn, Huw, ond dw i'n nerfus.
Huw: Yn nerfus?
Rolant: Ydw, yn nerfus iawn.
Huw: Pam?
Rolant: Dw i'n mynd i'r sioe.
Huw: Wyt ti'n cystadlu yn y sioe?
Rolant: Ydw. Dyna pam dw i'n nerfus.
Huw: Ar beth wyt ti'n cystadlu?
Rolant: Dw i'n cystadlu yn yr adran gwin.
Huw: Wyt ti wedi gwneud gwin?
Rolant: Ydw. Dw i wedi gwneud gwin gwyn a gwin coch. Edrycha, dyma'r ddwy botel.
Huw: Maen nhw'n edrych yn hyfryd.

---

golygfa	*scene*	cystadlu	*(to) compete*
cymeriad,-au	*character,-s*	adran	*category*
cymydog	*neighbour*		

Rolant: Dw i'n falch o'r gwin. Mae'r gwin gwyn yn glir iawn. Mae'r gwin coch yn glir hefyd.

Huw: Ydyn, mae'r ddau win yn edrych yn hyfryd. Ond beth am y blas?

Rolant: Dw i'n siŵr bod y blas yn hyfryd hefyd.

Huw: Ga i flasu un?

Rolant: Wrth gwrs. Pa un wyt ti eisiau?

Huw: Mi hoffwn i flasu'r gwin gwyn. Mmmm. Mae o'n dda iawn. Beth am y coch?

Rolant: Faset ti'n hoffi blasu'r gwin coch?

Huw: Baswn, os gweli di'n dda.

Rolant: Dyma ti.

Huw: Mmmm, neis iawn, yn wir.

Rolant: Pa un wyt ti'n hoffi orau?

Huw: Wn i ddim. Ga i beth o'r un gwyn eto, os gweli di'n dda?

Rolant: Wrth gwrs.

Huw: Ydy, mae hwn yn dda. Ond ydy'r coch yn well? Ga i beth o'r coch eto, os gweli di'n dda?

Rolant: Wrth gwrs.

---

clir	*clear*	blasu	*(to) taste*
blas	*taste*		

Huw: Ydy, mae o'n dda. Ond ydy o'n well na'r gwin gwyn?

Rolant: Pa un wyt ti'n hoffi orau?

Huw: Mae'n rhaid i mi flasu eto.

Rolant: Wrth gwrs.

Huw: Pa un wyt ti am roi yn y sioe, Rolant?

Rolant: Does gen i ddim gwin ar ôl!

Marlis Jones

Pobl Cymru

Tom Jones . . . Catherine Zeta Jones . . . Shirley Bassey . . . Anthony Hopkins . . . pobl enwog ar draws y byd. O ble maen nhw'n dod yn wreiddiol?

Enw: Thomas Jones Woodward
Beth ydy gwaith Thomas Jones Woodward?
Mae e'n ganwr. Fe ydy Tom Jones.
Ble mae e'n byw?
Mae e'n byw yn Califfornia ond mae tŷ gyda fe yn Sain Dunwyd ym Mro Morgannwg.
O ble mae e'n dod yn wreiddiol?
O Bontypridd.
Ffaith: Mae gwraig Tom Jones, Linda Trenchard, yn dod o dde Cymru hefyd.

Enw: Catherine Zeta Jones
Beth ydy gwaith Catherine?
Mae hi'n actores.
O ble mae hi'n dod yn wreiddiol?
O Abertawe.

---

enwog	*famous*	canwr	*singer (masc.)*
ar draws y byd	*all over the world*	de	*south*

Ble mae hi'n byw?
Nawr mae hi'n byw yn Califfornia ond mae hi'n dod yn ôl i Abertawe weithiau.
Ffaith: Mae gŵr gyda hi – Michael Douglas – ac mae dau o blant gyda hi.

Enw: Shirley (Veronica) Bassey
O ble mae hi'n dod yn wreiddiol?
O Tiger Bay, Caerdydd – Bae Caerdydd, heddiw.
Ble mae hi'n byw?
Mae hi'n byw yn America.
Ffaith: Mae hi'n dod o deulu mawr – roedd saith o blant yn y teulu.

Enw: Syr (Philip) Anthony Hopkins
Beth ydy gwaith Syr Anthony?
Mae e'n actio.
O ble mae e'n dod yn wreiddiol?
O Bort Talbot.
Ble mae e'n byw?
Mae e'n byw yn America.
Ffaith: Mae e'n ffrind mawr i Bill Clinton.

---

dod yn ôl *(to) come back*

A RHAGOR O BOBL

Enw: David Lloyd George
Beth oedd ei waith e?
Roedd e'n Brif Weinidog rhwng 1916 a 1922.
O ble roedd e'n dod yn wreiddiol?
O Fanceinion. Ond symudodd e i Lanystumdwy ger Cricieth pan oedd e'n fach iawn. Roedd e'n byw gyda'i ewythr.
Ffaith: Roedd David Lloyd George yn enwog am helpu pobl dlawd. Dechreuodd e system bensiwn. Roedd hen bobl yn galw'r pensiwn yn 'Pensiwn Lloyd George'.

Enw: Gwen John
Beth oedd ei gwaith hi?
Roedd hi'n artist enwog.
O ble roedd hi'n dod yn wreiddiol?
O Ddinbych-y-Pysgod yn Sir Benfro.
Ffaith: Roedd hi'n chwaer i'r artist, Augustus John, ac roedd hi'n gariad i Rodin, y cerflunydd enwog. Dwedodd Augustus, 'Yn y dyfodol, bydd pobl yn fy nghofio i fel brawd Gwen John.' Roedd e'n iawn!

---

cerflunydd *sculptor*

Enw: Roald Dahl

Beth oedd ei waith e?

Awdur llyfrau plant a storïau byr.

Y dechrau: Roedd e'n teithio'r byd gyda chwmni Shell a'r RAF. Dechreuodd e ysgrifennu yn 1942 ar ôl cael ei anafu yn yr RAF. Ysgrifennodd e lyfrau enwog i blant fel **Charlie and the Chocolate Factory** a storïau â thro yn eu cynffon. Cafodd rhai ohonyn nhw eu gwneud yn rhaglenni teledu, **Tales of the Unexpected**.

O ble roedd e'n dod yn wreiddiol?

O Landaf yng Nghaerdydd. Roedd ei deulu'n dod o Norwy. Buodd e farw yn Rhydychen yn 1990.

Ffaith: Dwedodd Roald Dahl unwaith, 'Dw i'n yfed gormod o whisgi a gwin gyda'r nos. Dw i'n bwyta gormod o siocled. Dw i'n ysmygu gormod o sigaréts. Dw i'n casáu fy mhen-blwydd a dw i'n mynd yn foel!'

---

cael ei anafu	*(to) be injured*	moel	*bald*
â thro yn eu cynffon	*with a twist in their tail*		

Pen-blwydd Hapus

Cododd Ann yn gynnar, a llyncodd ei choffi. Brysiodd allan o'r tŷ. Roedd heddiw'n ddiwrnod arbennig iawn. Heddiw oedd diwrnod ei phen-blwydd.

Roedd yn rhaid iddi fynd i'r gwaith – ar ddiwrnod ei phen-blwydd. Nyrs oedd Ann – roedd hi'n gweithio ar ward y plant yn Ysbyty Glanwynedd. Ond doedd hi ddim yn meindio gweithio. Doedd dim ots heddiw. Roedd hi'n edrych ymlaen.

Trodd Ann y car i mewn i'r maes parcio. Gwelodd le ar unwaith. Aeth yn ei blaen. Yna, dechreuodd facio'r car yn araf.

Roedd heddiw'n ddiwrnod arbennig iawn. Roedd y meddyg newydd yn dechrau yn yr ysbyty.

Roedd pawb yn dweud fod y meddyg newydd yn olygus iawn, a'i fod o'n sengl! Meddyliodd Ann am y meddyg. Tybed oedd gynno fo wallt melyn neu wallt brown? Tybed oedd gynno fo lygaid glas, llygaid gwyrdd, neu lygaid brown? Waw! Tybed oedd o'n olygus iawn?

BANG! Roedd car arall yn bacio i'r un lle.

---

llyncu	*(to) swallow*	aeth yn ei blaen	*she carried on*
brysio	*(to) hurry*	bacio	*(to) reverse*
edrych ymlaen	*(to) look forward*	meddyg	*doctor*

'Hei!' meddai Ann. 'Fi oedd yma gynta.'

'Nage,' meddai'r gyrrwr arall, 'Fi oedd yma gynta!'

'Wyt ti'n ddall, ddyn?' meddai Ann yn flin.

'Ti sy'n ddall!' gwaeddodd y gyrrwr.

'Edrycha,' meddai Ann, 'Mae tolc yn y car.'

'Mae tolc yn y car yma hefyd,' meddai'r gyrrwr blin.

'Mae'n rhaid i ti dalu am drwsio'r car,' meddai Ann. 'Dw i'n gweithio yn yr ysbyty. Ymwelydd wyt ti?'

'Nage, dw i'n gweithio yma hefyd.'

'Beth wyt ti'n wneud yma? Glanhau ffenestri?'

'Nage. Meddyg ydw i. Dw i'n dechrau fy swydd newydd yma heddiw.'

'O nefoedd fawr!' meddai Ann.

Nesta Ellis

---

fi oedd yma gynta	*I was here first*	tolc	*dent*
		trwsio	*(to) repair*
dall	*blind*	ymwelydd	*visitor*
blin	*angry*	nefoedd fawr	*heavens above*

GWYLIO PWYSAU

Noswaith dda, ferched, a chroeso i Glwb Tlws. Diolch am ddod.

Pwrpas ein clwb ydy helpu pobl i edrych yn dda. Dyn ni'n helpu pobl i golli pwysau, i edrych yn iach, i wisgo colur ac i wneud eu gwallt. Ar ôl deg wythnos, byddwch chi'n ferched newydd!

Na, peidiwch â chwerthin, ferched. Byddwch chi'n edrych yn wych.

Heno, dyn ni'n mynd i wylio fideo . . .

Na, Menna, nid **Vanilla Sky**. Na, nid **Top Gun**. Na, nid **Eyes Wide Shut** – na, nid fideo Tom Cruise! Fideo am golli pwysau.

Peidiwch â phoeni, dydy o ddim yn fideo diflas. Dyn ni'n mynd i weld sut mae Marjorie'n colli dwy stôn trwy fwyta cawl bresych. Ie, cawl bresych i de, cawl bresych i ginio a chawl bresych i swper!

Nicola, os dych chi'n teimlo'n sâl, ewch i'r tŷ bach!

Y . . . ie . . . iawn. Ar ôl y fideo byddwch chi'n gallu siarad am eich deiet.

---

pwysau	*weight*	nid	*not (emphatic)*
pwrpas	*purpose*	trwy fwyta	*by eating*
colur	*make-up*	bresych	*cabbage*

Kylie, plîs peidiwch â bwyta Mars Bar yn y clwb. Bydd diod o ddŵr ac afal i chi ar y diwedd.

Yr wythnos nesa, bydd Miranda Shellbrook yn siarad am ffasiwn.

Ydy, Mrs Jenkins, mae Ms Shellbrook yn gwybod tipyn am ffasiwn. Peidiwch â dweud pethau personol am bobl!

Ie, ferched, dyma'ch cyfle chi i newid; cyfle i ddod yn berson newydd!

Nage, Sylvia, dim cyfle i chwilio am *ddyn* newydd. Dych chi wedi priodi ers ugain mlynedd!

Nawr am y fideo. Ydy pawb yn iawn? Dyma ni, 'Fideo-ddyddiadur Marjorie – y 365 diwrnod cynta!'

Mererid Thomas

---

cyfle *opportunity*

NID DAFYDD YDY'R PERSON
GORAU I'R SWYDD

GWLEIDYDD

Mae'n amser etholiad. Mae'r gwleidydd yn y pentref.

Gwleidydd: Bore da. Sut dach chi?
Mr Jones: Bore da. Dw i'n dda iawn, diolch. Sut dach chi?
Gwleidydd: Dw i'n dda iawn, diolch. Ga i gyflwyno fy hun? Sylvester Roberts ydw i.
Mr Jones: O ie?
Gwleidydd: Ie. Fi ydy'ch ymgeisydd lleol chi.
Mr Jones: Ymgeisydd?
Gwleidydd: Yr etholiad! Fi ydy Sylvester Roberts. Fyddwch chi'n pleidleisio yn yr etholiad?
Mr Jones: Efallai.
Gwleidydd: Ga i ddibynnu ar eich pleidlais chi?
Mr Jones: Wel, mae llawer o bethau . . .
Gwleidydd: Gofynnwch unrhyw gwestiwn i mi.

---

etholiad	*election*	lleol	*local*
gwleidydd	*politician*	pleidleisio	*(to) vote*
cyflwyno	*(to) introduce*	dibynnu	*(to) depend*
ymgeisydd	*candidate*	pleidlais	*a vote*

Mr Jones: Dach chi'n mynd i roi mwy o bres i bensiynwyr?

Gwleidydd: Cwestiwn da iawn.

Mr Jones: Dach chi'n mynd i roi mwy o bres i bensiynwyr?

Gwleidydd: Dw i'n falch eich bod chi wedi gofyn y cwestiwn yna.

Mr Jones: Wel, dach chi'n mynd i roi mwy o bres i bensiynwyr?

Gwleidydd: Mae'r cwestiwn yn dangos eich bod chi'n meddwl.

Mr Jones: Wrth gwrs fy mod i'n meddwl. Dach chi mynd i roi mwy o bres i bensiynwyr?

Gwleidydd: A, ie, y pensiynwyr.

Mr Jones: Wel, dach chi'n mynd i roi mwy o bres iddyn nhw?

Gwleidydd: Maen nhw'n gofyn am fwy o bres.

Mr Jones: Ydyn. Mae angen mwy o bres arnyn nhw. Dach chi'n mynd i roi mwy o bres iddyn nhw?

Gwleidydd: Mae hwnnw'n gwestiwn da.

---

pres = arian	*money*	yn falch	*pleased*
pensiynwr, pensiynwyr	*pensioner,-s*	angen	*need*

Mr Jones: Cwestiwn da. Ond, beth ydy'r ateb? Dach chi'n mynd i roi mwy o bres i bensiynwyr?

Gwleidydd: Does gen i ddim syniad.

Mr Jones: A does gen innau ddim syniad i bwy i bleidleisio. Hwyl fawr.

Marlis Jones

---

innau *I (emphatic)*

Y Dywysoges Unig

Amser maith yn ôl roedd brenin cyfoethog iawn yn byw mewn gwlad bell, bell. Roedd gynno fo un ferch. Hi oedd y ferch hardda yn y byd. Roedd y brenin yn ei charu hi'n fawr. Roedd o eisiau ei chadw hi'n ddiogel. Doedd o ddim eisiau iddi hi gael unrhyw niwed.

Adeiladodd y brenin dŵr uchel yng ngardd y plas, i gadw'r dywysoges yn ddiogel. Roedd y dywysoges yn byw yn y tŵr. Roedd dwy ddraig fawr yn ei gwarchod hi. Doedd neb yn dod i weld y dywysoges. Roedden nhw'n ofni'r ddwy ddraig.

Yr unig gwmni oedd gan y dywysoges oedd yr adar bach oedd yn byw yn y coed.

Un diwrnod, sylwodd y dywysoges fod y coed wedi tyfu. Roedd hi'n medru cyffwrdd y coed drwy'r ffenest.

'Dw i'n mynd i ddringo'r goeden,' meddai'r dywysoges. 'Dw i'n mynd i ddringo i lawr i'r ardd i weld y blodau a mwynhau fy hun. Fydd neb yn gwybod.'

---

tywysoges	*princess*	draig	*dragon*
cyfoethog	*rich*	gwarchod	*(to) protect*
cadw yn ddiogel	*(to) keep safe*	yr unig	*the only*
niwed	*harm*	oedd yn byw	*that lived*
tŵr	*tower*	sylwi	*(to) notice*
plas	*palace*	cyffwrdd	*(to) touch*

Dringodd yn ofalus drwy'r ffenest, i lawr y goeden ac i'r ardd. Roedd hi wrth ei bodd yn cyffwrdd y blodau hardd. Roedd hi'n hoffi bod yn yr ardd. Roedd hi mor hapus dechreuodd hi chwerthin.

Clywodd y ddwy ddraig y chwerthin yn yr ardd. Rhuthron nhw i gyfeiriad y chwerthin. Gwnaethon nhw beth roedden nhw i fod i'w wneud … a welodd neb y dywysoges byth wedyn!

Marlis Jones

---

rhuthro *(to) hurry*

HEI! AR BETH WYT TI'N EDRYCH?

Dy dŷ di – Fy nhŷ i

Edrychwch ar y cartrefi a'r bobl yma:

Y Cartrefi:

(i) Diwedd y daith – byngalo

(ii) Rhif saith, Stryd y Rhiw – tŷ teras, pedair stafell wely

(iii) Y Sipsi Fach – carafán

(iv) Y Plas – Plasty mawr

Y bobl:

1. Angharad a Siarl
2. Marged a Jac
3. Dewi a Heulwen
4. Gwenan a Gwion

Pwy sy'n byw ble? Dyma gliwiau i'ch helpu chi:

a) Mae gan Dewi a Heulwen dri o blant. Maen nhw'n hoffi cerdded – trwy lwc.

b) Roedd Marged a Jac yn hoffi teithio. Nawr, maen nhw'n hoffi aros gartref.

c) Mae Gwenan a Gwion yn hoffi teithio. Maen nhw'n hoffi aros gartref hefyd!

ch) Mae Angharad a Siarl yn hoffi cerdded. Maen nhw'n gallu cerdded yn yr ardd.

[Mae'r atebion ar dudalen 70.]

---

trwy lwc *fortunately*

Y Broblem

Roedd Lis mewn cariad efo Dei, ac roedd hi'n hapus iawn. Roedd Dei yn prynu blodau a bocsys siocled i Lis bob wythnos. Roedd hi wrth ei bodd.

Roedd Dei mewn cariad efo Lis hefyd. Ond, doedd o ddim yn hapus iawn. Roedd o wrth ei fodd yn prynu bocsys siocled a blodau i Lis, ond doedd o ddim yn hapus iawn.

Beth oedd yn bod? Wel, roedd gan Dei gyfrinach a doedd Lis ddim yn gwybod.

'Dei,' meddai Lis, 'dw i eisiau i ti ddod i weld Mam a Dad.'

'Pryd?' meddai Dei.

'Y penwythnos nesa,' atebodd Lis.

'Iawn. Ble maen nhw'n byw?' gofynnodd Dei.

'Yn Rhoswen,' atebodd Lis.

'Rhoswen?' Edrychodd Dei yn syn.

'Ie. Pam wyt ti'n edrych yn syn?' gofynnodd Lis.

'Dim rheswm,' atebodd Dei yn ddistaw. Roedd o'n teimlo'n drist. Roedd Lis yn gweld Dei yn edrych yn drist. Roedd hi'n meddwl,

'Dydy Dei ddim eisiau dod i weld Mam a Dad. Ydy o mewn cariad efo fi go iawn?'

---

cyfrinach	*secret*	go iawn	*really*
yn syn	*surprised/ astonished*		

Roedd hi'n drist. Gofynnodd hi i Dei, 'Y penwythnos nesa?'

Atebodd Dei, 'Iawn.'

Ar ôl dweud 'Nos da' wrth Lis brysiodd Dei adre. Doedd o ddim eisiau mynd i Roswen. Roedd mam a tad Lis yn byw yn Rhoswen. Rhoswen, Rhoswen, Rhoswen. Roedd yr enw o flaen ei lygaid. Beth oedd o'n mynd i'w wneud? Cael y ffliw? Na, roedd o mewn cariad efo Lis. Roedd rhaid mynd i Roswen.

Meddyliodd Dei am y tro diwetha roedd o yn Rhoswen. Roedd mam a thad Dei yn crio. Roedd pawb yn drist achos roedd Nia, chwaer Dei, wedi marw. Roedd pawb yn dweud, 'Ar Dei mae'r bai.' Roedd ei dad yn crio ac yn gweiddi,

'Dei, dos o'r tŷ yma. Dos o Roswen. Dos o Gymru. Dos yn bell i ffwrdd. DOS!'

Roedd Dei yn gofyn, 'Pam fi?'

Dwedodd ei fam yn ddistaw, 'Ti ddwedodd wrth Nia fod tylwyth teg yn y llyn. Ti ddwedodd wrth Nia fod peli aur yn y llyn. Ti ddwedodd wrth Nia fod dinas hud yn y llyn. Ti ddwedodd wrth Nia fod y tylwyth teg yn rhoi peli aur i blant bach yn y ddinas hud. Ti! Ti! Ti!'

---

y tro diwetha	*the last time*	tylwyth teg	*fairy, fairies*
bai	*(to) blame*	aur	*golden*
dos=cer	*go*	hud	*magic*

Roedd Dei wedi rhedeg o'r tŷ, ac o Roswen. Ond rŵan roedd mam a thad Lis yn byw yn Rhoswen. Beth oedd o'n mynd i'w wneud?

Nesta Ellis

DYSGWYR ENWOG EIN GWLAD … (RHIF UN. CYFRES O UN.)

Pwy ydy'r dysgwr mwya enwog yng Nghymru? Jac Acroyd ydy e. Fe ydy'r dysgwr despret yn Lingo Newydd, y cylchgrawn dysgwyr. Dyn ni wedi ffonio fe yn ei gartre am sgwrs fer …

Yr holwr: Pwy dych chi?

Jac: Rydw i Jac. O, bygar! Bydd rhaid i ni gychwyn eto. Sori.

Yr holwr: Pwy dych chi?

Jac: Jac ydw i. Jac Acroyd.

Yr holwr: Sut dych chi heddiw, Jac?

Jac: Dw i'n iawn, diolch. Dw i wedi blino. Rôn i'n hwyr yn mynd i'r gwely achos rôn i eisiau gwylio **Bang Bang Bangkok** ar y teledu. Ond, dw i'n iawn.

Yr holwr: O ble dych chi'n dod yn wreiddiol?

Jac: Dw i'n dod o'r Pwll-du (*Blackpool*) yn wreiddiol. Ond dw i ddim yn hoffi sôn am fy ngwreiddiau.

---

cyflwyno	*(to) introduce*	cychwyn = dechrau	*(to) start*
enwog	*famous*	gwraidd, gwreiddiau	*root,-s*
cyfres	*series*		
sgwrs	*conversation, chat (informal)*		

Yr holwr: Ble dych chi'n byw nawr?

Jac: Yn Abertawe. Mae'r ddinas yn gwneud i Gasnewydd (*Newport)* edrych yn hyfryd. Ac mae'n gwneud i Gaerdydd edrych yn bwysig.

Yr holwr: Dych chi'n briod?

Jac: Ydw a nac ydw. Rôn i'n briod â Gwawr (*Dawn*). Heddiw mae hi'n byw gyda fy ffrind gorau, Gareth. Mae Gareth yn siarad Cymraeg fel iaith gynta a dyn ni'n agos iawn at ein gilydd.

Yr holwr: Oes gyda chi blant?

Jac: Oes. Mae gen i dri o blant. Owain ap Sobin sy'n edrych fel Dawn. Twm Siôn Caradog sy'n edrych fel fi. A Guto Gruffydd John-Eric sy ddim yn edrych fel Dawn na fi. Mae pawb sy'n cwrdd â Guto yn dweud, 'Mae e'n edrych yn debyg iawn i Gareth.'

Yr holwr: Oes gyda chi anifeiliaid anwes?

Jac: Oes. Beddgelert y ci.

Yr holwr: Ers pryd dych chi'n dysgu Cymraeg?

---

cwrdd â = cyfarfod â	*(to) meet*	ers pryd	*since when*

Jac: Ers dros dri deg o flynyddoedd. Dw i'n ddysgwr 'proffesiynol' erbyn heddiw. Pan ôn i'n dechrau dysgu Cymraeg yn y saith degau, dim ond canol oed oedd Shirley Bassey a Tom Jones.

Yr holwr: Beth am y dyfodol?

Jac: Dw i'n meddwl am symud i Geredigion i helpu achub yr iaith. Dw i wedi cael swydd gyda chwmni sy'n codi tai yn yr ardal.

Yr holwr: Diolch, Jac, a phob lwc i'r dyfodol.

---

canol oed	*middle age*	ardal	*area*
achub	(to) *save*	dyfodol	*future*
cwmni sy'n codi tai	*a company that builds houses*		

DYDY OLIVER ERIOED WEDI BOD YN DDYN LWCUS

Nadolig Blodwen Jones

Mae Blodwen Jones yn dysgu Cymraeg. Mae hi'n cadw dyddiadur. Dyma beth mae hi'n ei ysgrifennu amser y Nadolig.

Dydd Iau, Rhagfyr 20

5 diwrnod i fynd. Dw i wedi gyrru cardiau Nadolig at bawb dw i'n nabod – ers wythnos. Wel, at bawb dw i'n meddwl fydd yn gyrru cerdyn ata i. Ond dim ond pump dw i wedi cael. Dydy pawb ddim mor *(what's organised?* O ie – trefnus) – dydy pawb ddim mor drefnus â fi.

Roedd cinio Nadolig y llyfrgell neithiwr. Hm. Doedd o ddim yn barti gwyllt. Ond cafodd Gwen ormod o port & lemon – a phwdin. Wedyn roedd hi'n sâl. Ha ha. Parti'r dosbarth Cymraeg nos yfory – IEEEEEE! O diar. Newydd gofio: dw i wedi anghofio cael coeden Nadolig.

Dydd Sadwrn, Rhagfyr 22

Dw i'n sâl. Dw i'n marw. Dw i byth eisiau vodka a Red Bull eto. Bues i braidd yn wirion. Bues i'n

---

gyrru cerdyn = anfon cerdyn	*(to) send a card*	dw i byth …	*I never …*
newydd gofio	*just remembered*	gwirion = twp	*silly, stupid*

dawnsio ar ben y bwrdd. Ac wedyn disgynnais i ar y llawr. Mae fy mhen ôl i'n biws. Ac wedyn bues i'n lapswchan (*it sounds better than 'snogio'*) o dan y bwrdd gyda Roy. Fydda i byth yn gallu edrych arno fo eto. Dim ond ceisio fy helpu i i godi oedd o. Dw i ddim yn cofio hyn i gyd. Andrew a Menna ddwedodd wrtho i. Buon nhw yma amser cinio. Roedd Andrew wedi dod â bocs o *Resolve*. Dydy o ddim wedi gweithio.

Roedd Menna yn hen ast.

'O, Blodwen druan,' meddai hi, 'rwyt ti'n edrych yn ofnadwy! Fel hen wraig! Roeddet ti'n edrych yn ofnadwy neithiwr hefyd.'

'Diolch,' meddwn i. 'Mae hynna'n gwneud i mi deimlo'n llawer gwell.'

Dim ond tri cherdyn ges i bore 'ma. A dw i'n dal heb goeden. Rhy sâl i adael y tŷ. *Sod it*. Dw i ddim eisiau coeden. Dw i'n casáu'r Nadolig.

Dydd Sul, Rhagfyr 23

Teimlo'n well heddiw. Wedi prynu coeden. Mae hi'n fawr ond doedd dim coed bach ar ôl. Mae hi'n anodd gweld y teledu rŵan.

---

disgyn = syrthio/ cwympo	*(to) fall*	fydda i byth ...	*I'll never ....*
		hen ast	*an old bitch*

Dydd Llun, Rhagfyr 24

25 cerdyn heddiw! Ac mae parti yn y George heno. Bydd dynion y tîm rygbi yno. Diddorol. Ond dim vodka i mi y tro yma dw i'n meddwl.

Dydd Sul, Rhagfyr 25

Nadolig Llawen. Ces i hwyl neithiwr . . . a vodka. A daeth Siôn Corn draw. Mae o'n dal yn fy ngwely, a'i het ar ben y goeden. Ces i anrheg neis iawn, iawn.

Bethan Gwanas

---

dod draw *(to) come over*

Mae ffilm newydd ar y ffordd am y bardd Dylan Thomas. Ond nid Cymro sy'n actio Dylan.

COFIO . . . DYLAN THOMAS

Pwy ydy e?
Dylan Thomas

Dylan Thomas, yr yfwr?
Ie . . . a Dylan Thomas, y bardd.

Oedd, roedd e'n fardd . . . ond roedd e'n enwog am yfed hefyd!
Efallai. Mae e'n fardd enwog iawn. Mae ei gerddi'n enwog iawn, e.e. *Fern Hill* a *Do Not Go Gently Into That Good Night* ac *Under Milk Wood*, y ddrama.

'Rage, rage against the dying of the light!'
Ie, ie. Ond, buodd Dylan farw'n sydyn. Buodd e farw o wenwyn alcohol. Roedd e yn yr Unol Daleithiau (*USA*).

---

bardd	*poet*
enwog	*famous*
buodd e farw	*he died*
gwenwyn alcohol	*alcohol poisoning*

Dych chi wedi clywed y jôc am Dylan Thomas? Albanwr oedd e!
Nage, Cymro oedd e! Cafodd e ei eni yn Abertawe. Roedd ei dad, David John Thomas, yn siarad Cymraeg.

Ie, ie Cymro oedd e. Ond, Albanwr ydy e mewn ffilm newydd.
Dougray Scott, yr Albanwr, sy'n actio Dylan. Ond, bydd e'n siarad gydag acen Gymraeg.

Dydy hyn ddim yn deg. Dylai Cymro chwarae Dylan . . . Fi, efallai!
Na, maen nhw eisiau actor! Does dim rhaid cael Cymro. Roedd Anthony Hopkins yn actio Americanwr yn **Silence of the Lambs**.

The Scotsman who went into a studio and came out a Welshman?
Clyfar iawn. Mae'r ffilm yn cael ei gwneud gan Chris Monger o Gaerdydd, y dyn wnaeth **The Englishman who Went up a Hill and Came Down a Mountain**. Mae'r ffilm yn costio £10 miliwn.

---

yn deg — *fair*

Ble maen nhw'n gwneud y ffilm? Yn Abertawe, mae'n siŵr?:
Neu yng Ngheinewydd (*New Quay*) neu Talacharn (*Laugharne*).

Y?:
Mae llawer o leoedd yn dweud, 'Ni biau Dylan Thomas'. Buodd e a'i wraig, Caitlin, yn byw, yn yfed ac yn ymladd yn Nhalacharn. Buon nhw'n byw hefyd yng Ngheinewydd. Mae'r ddau le yn dweud, 'Dyma dref *Under Milk Wood.*'

Beth am drafod hyn yn y dafarn?
Syniad da. Piti bod Dylan ddim yn gallu dod.

---

ni biau *we own*

PWY YDY OWAIN GLYNDŴR?

Ar Fedi 16 bob blwyddyn, mae rhai pobl yn cofio Owain Glyndŵr. Dyma pam.

Enw: Owain Glyndŵr.

Pwy ydy o?
Milwr. Un o deulu tywysogion Powys. Roedd o'n byw yng Nghymru a Lloegr.

Yn Lloegr?
Ie. Dysgodd o Saesneg ac astudiodd o yn Llundain. Roedd o'n filwr da ac roedd o'n helpu brenin Lloegr i ymladd yn erbyn y Celtiaid ofnadwy yna yn yr Alban!

Ond mae o'n Gelt hefyd!
Dw i ddim wedi gorffen y stori eto! Daeth o yn ôl i Gymru i briodi. Roedd o'n arglwydd Glyndyfrdwy a dyna pam cafodd o'r enw Glyndŵr. Roedd o'n byw ym mhlasty hardd Sycharth.

---

milwr	*soldier*	arglwydd	*lord*
tywysog,-ion	*prince*,-s	plasty	*mansion*
ymladd yn erbyn	*(to) fight against*		

Boi cyfoethog. Faint ydy ei oed o?
Cafodd o ei eni tua 1354.

650 oed! Mae o'n hen!
Mae o wedi marw – yn 1416 (efallai).

Sori. Pwy oedd o eto?
Cymro enwog. Mae sôn amdano fo yn nrama Shakespeare, **Henry IV**. Dyn ni'n dal i'w gofio fo ar Fedi 16.

Pam?
Achos ym mis Medi 1400, dechreuodd o ymladd yn erbyn Brenin Lloegr.

Beth ddigwyddodd?
Gwnaeth Glyndŵr yn dda i ddechrau. Enillodd o Gastell Aberystwyth a Chastell Harlech. Cafodd o ei wneud yn Dywysog Cymru (y fersiwn go iawn!) ac roedd Senedd gynno fo ym Machynlleth.

Da iawn!
Ond yna collodd o gestyll Aberystwyth a Harlech yn 1408.

---

cyfoethog	*wealthy*	dal i	*(to) continue/ still . . .*
mae sôn amdano fo	*he is mentioned*	cafodd o ei wneud	*he was made*
		senedd	*parliament*

O diar!

Roedd rhaid i deulu Glyndŵr fynd i'r carchar.

Fuodd Owain farw yn y carchar?

Aeth Owain ei hun ddim i'r carchar.

Beth ddigwyddodd nesa?

Dyn ni ddim yn gwybod. Diflannodd Owain yn 1412. Buodd o farw tua 1416, efallai, ond does neb yn gwybod ble.

Dyna'r diwedd?

Mae rhai yn dweud ei fod o'n cysgu mewn ogof efo'i filwyr.

Ond y Brenin Arthur oedd hwnnw . . .

Dyn ni'n hoff iawn o ogofeydd a chysgu!

Fydd o'n codi eto?

Wrth gwrs!

---

diflannu	*(to) disappear*	ogof,-eydd	*cave,-s*

BETH YDY'CH ADDUNED CHI?

Yn y Flwyddyn Newydd, mae pobl yn gwneud adduned. Maen nhw'n dweud, 'Dw i'n addo gwneud hyn . . .' neu 'Dw i'n addo peidio â gwneud rhywbeth arall . . .'

Mae Kate, Eirug, James a Pat yn gwneud addunedau Blwyddyn Newydd. Ond, mae eu haddunedau nhw wedi cymysgu.

Dyfalwch pwy sy wedi gwneud yr addunedau. Mae cliwiau i'ch helpu chi.

Y bobl:

Kate
Eirug
James
Pat

Yr Addunedau:

1. Dw i'n addo rhoi'r gorau i ysmygu.
2. Dw i'n addo mynd i'r gampfa.
3. Dw i'n addo darllen mwy o lyfrau.
4. Dw i'n addo gweld fy nheulu yn fwy aml.

---

adduned,-au	*resolution, -s*	wedi cymysgu	*mixed up*
addo	*(to) promise*	rhoi'r gorau i	*(to) give up*

Y Cliwiau:

1. Mae Kate yn hoffi ei theulu. Mae Pat yn hoffi ei theulu hefyd. Ond, mae teulu Pat yn byw ar Ynys Môn ac mae hi'n byw yn Ninbych-y-pysgod.
2. Mae Eirug wedi bwyta gormod dros y Nadolig. Ond, mae e'n denau. Mae James wedi bwyta gormod dros y Nadolig. Mae ei wraig e'n dweud, 'James, rwyt ti'n dew.'
3. Mae Eurig yn gweithio mewn llyfrgell. Ond, dydy e ddim yn cael amser i ddarllen. Mae e'n casáu ysmygu.

[Mae'r atebion ar dudalen 70.]

Ar ddydd San Padrig, 2003

Mae rhyw ofid mawr am ryfel
heddiw yn sŵn y gwynt,
a sloganau am elynion
yn poeri eu hiaith mewn print.

A thros y wlad i gyd
mae clustiau'n gwrando
ar y radio –
yn clustfeinio
am y geiriau
sy'n dweud nad oes rhyfel
heb ddagrau.

Ac ym mhob lolfa
mae llygaid
yn edrych ar y teledu,
yn syllu arno'n hir,
yn disgwyl am y llun
sy'n dweud y gwir.

---

gofid	*sorrow, affliction*	clustfeinio	*to listen intently*
rhyfel	*war*		
gelyn,-ion	*enemy, enemies*	deigryn,dagrau	*tear,-s*
poeri	*(to) spit*	syllu	*to stare*

Ac o flaen y tân
mae breuddwydion yn aros
rhwng gobaith ac ofn,
yn gweddïo am golomen yn gân.

Ond mae rhyw ofid am ryfel
yma o hyd
a hiraeth am weld fory
sy'n enfys i gyd.

Ac o dan flanced o dawelwch
daw llun o wlad y llwch,
lle mae heddwch yn bell
a bomiau'n drwch …

Yn ein byd
mae rhyw ofid am ryfel
o hyd.

Mererid Hopwood

---

breuddwyd,-ion	*dream,-s*
gobaith	*hope*
gweddïo	*(to) pray*
colomen	*dove*
enfys	*rainbow*
llwch	*dust*
heddwch	*peace*
bomiau'n drwch	*an abundance of bombs (lit. a thick layer of bombs)*

CAWL GWRACHOD

Pos i chi. Mae rhywbeth o'i le. Ond beth?

Mae'r Wrach Fach yn edrych ymlaen. Mae hi'n cael parti. Mae hi'n gwneud cawl arbennig. Cawl Cariad.

Mae'r Wrach Fach yn ffansïo'r Dewin Du. Mae hi eisiau plesio'r Dewin Du.

Mae Pwsi Meri Mew yn helpu'r Wrach Fach. Dydy'r gath ddim yn hoffi'r Dewin Du.

'Mae Dewin Du yn sefyll ar fy nghynffon i,' meddai'r gath.

Dyma Pwsi Meri Mew yn darllen rysáit y cawl cariad . . .

> 'Cwpanaid o law
> Potelaid o win gwrach
> Llwyaid o wenyn
> Afal mawr coch
> Dail marw
> Cynffon Meri Mew.'

---

gwrach-od	*witch-es*	cynffon	*tail*
mae rhywbeth o'i le	*there's something missing*	glaw	*rain*
		gwenyn	*bees*
plesio	*(to) please*	dail	*leaves*

‘Miaw,’ meddai Pwsi Meri Mew a neidio i’r awyr. Mae hi’n glanio ar y llyfr rysáit ac mae ôl ei thraed dros y tudalennau.

Nawr, dydy’r Wrach Fach ddim yn gallu darllen y rysáit yn iawn. Ond mae hi’n gwneud y cawl.

Mae hi’n rhoi cwpanaid o faw, potelaid o win gwrach, llwyaid o wenwyn, afal mawr coch a thail tarw yn y cawl.

Mae’r Dewin Du yn cyrraedd.

Mae’r Dewin Du yn yfed y cawl.

Ydy e’n syrthio mewn cariad â’r Wrach Fach? Nac ydy!

Mae e’n mynd adref i’r gwely yn sâl. Ond mae Pwsi Meri Mew yn hapus.

Beth sy o’i le?

[Mae’r atebion ar dudalen 70.]

---

glanio *(to) land*
ôl ei thraed *her footsteps*
baw *dirt*
gwenwyn *poison*
tail *manure, dung*

Maes Parcio

Roedd hi'n dywyll yn y maes parcio. Roedd llawer o gysgodion. Roedd hi'n hawdd i rywun guddio yn y cysgodion.

Roedd Lwsi eisiau cuddio. Dyna pam roedd hi wedi dewis y maes parcio.

'Digon o gysgod. Does dim llawer o bobl yn defnyddio'r maes parcio yma yn y nos,' meddyliodd hi.

Rhoddodd ei llaw yn ei phoced. Roedd hi wedi rhoi'r darn o fetel yn ei phoced yn ofalus iawn. Roedd y darn yna o fetel yn bwysig iawn. Edrychodd draw at yr hen gar coch. Roedd trwyn y car yn y golwg. Gwenodd hi'n hapus. Doedd neb o gwmpas.

Dechreuodd hi gerdded yn araf ar draws y maes parcio. Stopiodd. Gwrandawodd. Roedd rhywun yn y maes parcio. 'O na!' meddyliodd Lwsi. Neidiodd hi yn ôl i'r cysgod. Roedd hi'n medru clywed ei chalon yn curo'n gyflym.

---

cysgod,-ion	*shadow,-s*	yn y golwg	*in sight*
cuddio	*(to) hide*	curo	*(to) beat*
darn o fetel	*a piece of metal*		

'Gwastraff pres. Gwastraff noson,' meddai'r hogyn yn uchel. Edrychodd draw i gyfeiriad Lwsi.

'Wel, rôn i'n meddwl bod y ffilm yn dda,' meddai'r hogan. 'Tyrd!' meddai hi.

Edrychodd yr hogyn ar ei gariad. Dringodd o i mewn i'r car.

Oedd o wedi gweld Lwsi?

Gyrrodd y ddau allan o'r maes parcio.

'Rhaid i mi symud rŵan,' meddyliodd Lwsi. 'Rhaid i mi symud cyn i rywun arall ddod.'

Symudodd yn gyflym ar draws y maes parcio. Cyffyrddodd y darn o fetel yn ei phoced. Aeth at gefn y car. Cyffyrddodd gist y car. Teimlodd am dwll y clo. Byddai neb yn ei gweld ...

Yn ofalus iawn, rhoddodd y darn o fetel yn y twll. Na. Doedd dim byd yn digwydd. Rhoddodd y darn o fetel yn y twll eto. Troiodd hi'r metel yn y twll. Clywodd hi farel y clo yn troi.

'Mae o wedi gweithio,' meddai.

Agorodd gist y car yn ofalus. Ceisiodd ddringo i mewn.

---

gwastraff	*waste*	hogan=merch	*girl*
pres=arian	*money*	tyrd=dere	*come on*
hogyn=bachgen	*boy*	cyffwrdd	*(to) touch*
i gyfeiriad	*in the direction of*	cist y car	*car boot*
		twll y clo	*keyhole*

Tybed oedd yr hogyn wedi ei gweld hi'n cuddio yn y maes parcio? Tybed oedd o wedi mynd i ffonio'r heddlu? Tybed oedd o wedi dweud bod rhywun amheus yn y maes parcio?

'Rhaid i mi frysio,' meddyliodd hi. Ceisiodd ddringo i mewn unwaith eto.

'O, nefi bliw!' meddai.

Yn sydyn, clywodd gar yn dod i mewn i'r maes parcio a gwelodd y golau glas yn fflachio . . .

Roedd hi wedi ceisio edrych yn smart. Roedd hi wedi ceisio edrych fel dynes broffesiynol. Roedd hi'n ceisio edrych fel dynes broffesiynol oedd yn siarad â Merched y Wawr bob wythnos. Ond, dyma hi – mewn maes parcio tywyll, yn ceisio dringo i mewn i hen gar trwy'r gist a hithau'n gwisgo sgert dynn a sodlau uchel. Dyma hi – yn ymddwyn yn amheus, yn ymddwyn fel rhywun oedd yn ceisio torri i mewn i gar . . . Roedd hi **yn** torri i mewn i gar.

'Helo!' meddai'r plismon.

'Helo,' meddai Lwsi.

---

amheus	*suspicious*	tynn	*tight*
brysio	*(to) hurry up*	sodlau uchel	*high heels*
fflachio	*(to) flash*	ymddwyn	*(to) behave/ act*
dynes=menyw	*woman*		
hithau	*she (emphatic)*		

Llyncodd ei phoer,

'Fy nghar i ydy o. Dw i wedi cloi'r goriad yn y car,' meddai.

Edrychodd y plismon arni.

Meddyliodd Lwsi,

'Ydyn nhw'n mynd i gredu fy stori?'

Pam Thomas

---

llyncu	*(to) swallow*	goriad = allwedd	*key*
poer	*spit*	credu	*(to) believe*

Llaw Duw

Mae hi'n oer yma. Llofft oer wag ydy hi. Mae hi'n agos i ganol y ddinas. Does neb yma ond fi. Wel, dim ond fi a fy hen reiffl.

Dw i'n gallu gweld prif sgwâr y ddinas o'r ffenest. Bydd arweinydd un o wledydd mwya'r byd yn cyrraedd mewn pum munud. Ar ôl i'r arweinydd gyrraedd bydda i a fy reiffl yn newid hanes.

Does dim byd i'w wneud ond meddwl am bum munud. Beth fydd yn gyfrifol am newid llyfrau hanes y dyfodol? Bydd nifer yn dweud, 'Ti oedd yn gyfrifol'. Ond beth am y dyn di-enw sy wedi talu arian mawr i mi aros yn y llofft yma? Beth am y fwled fydd yn hedfan drwy'r awyr mewn munud neu ddau? Beth am y swyddog di-enw yn Whitehall? Newidiodd llyfrau hanes y munud y rhoddodd o'r gorchymyn.

Pan siaradodd y swyddog yna, symudodd llaw Duw. Os dach chi ddim yn hoffi'r syniad ... wel, pan siaradodd y swyddog yna, roedd grymoedd dirgel y bydysawd yn symud.

---

llofft	*bedroom*	hedfan	*(to) fly*
arweinydd	*leader*	swyddog	*officer*
cyrraedd	*(to) arrive*	gorchymyn	*(to) order*
cyfrifol	*responsible*	grym,-oedd	*power,-s*
dyfodol	*future*	dirgel	*secret, hidden*
di-enw	*nameless*	y bydysawd	*the universe*

Does neb yn gallu atal y grymoedd dirgel yma rŵan.

Felly peidiwch â bod yn gas. Dim ond arf bach di-nod ydw i. Mor ddi-nod â'r hen reiffl yn fy nwylo.

Un arall o'r grymoedd dirgel ydw i, efallai. Am funud bach, fi ydy llaw Duw. Fydd fy enw i ddim ar dudalennau llyfrau hanes y dyfodol. Bydda i ar y ffordd i'r maes awyr ar ôl i'r fwled gyrraedd pen ei thaith.

Dyna ddigon o feddwl am y peth. Mae tacsi yn aros amdana i yn y stryd islaw. Y cyfan sy'n rhaid i mi wneud ydy newid cwrs hanes.

Digon hawdd, yntê?

Andras Millward

---

atal	*(to) stop*	pen y daith	*the end of the journey*
arf	*weapon*		
di-nod	*insignificant*	islaw	*below*
		y cyfan	*all*

Y Swydd Newydd

Canodd y cloc larwm. Dihunais i. Yna, dechreuais i wneud fy ymarferion cadw'n heini.

Ond rôn i'n gallu teimlo rhywbeth ar fy ngwddw – rhyw dynerwch ar ochr chwith fy ngwddw. Edrychais i yn y drych.

Oedd, roedd dau farc bach, coch yno – rhwng coler fy nghrys a fy nghlust.

Roedd fampir wedi fy mrathu ac wedi sugno fy ngwaed yn ystod y nos. Roedd hi'n amlwg. Dyna'r unig esboniad.

Dôn i ddim wedi teimlo dim na chlywed dim. Mae'n rhaid bod y fampir, ar ffurf ystlum, wedi llithro i mewn drwy'r ffenest. Rôn i wedi gadael y ffenest yn gilagored trwy'r nos.

Rôn i wedi cysgu drwy'r cyfan. Yr unig freuddwyd rôn i'n ei chofio oedd rhywun – dw i ddim yn siŵr pwy – yn paentio drysau a fframiau ffenestri'r tŷ yn lliw gwyrdd afalau ych-a-fi. Rôn i wedi dweud 'Diolch yn fawr'. Dôn i ddim yn licio'r

---

dihuno=deffro	*(to) wake*	esboniad	*explanation*
tynerwch	*tenderness*	ar ffurf	*in the form of*
drych	*mirror*	ystlum	*bat*
fampir	*vampire*	llithro	*(to) slip*
brathu	*(to) bite*	cilagored	*ajar*
sugno	*(to) suck*	breuddwyd	*dream*

lliw, yn wir. Dôn i ddim wedi gofyn i'r person baentio'r tŷ yn y lle cynta.

Ond, i ddod yn ôl at y brathiad ar fy ngwddw ... Sylweddolais i'n sydyn – doedd dim pwynt i mi frysio i gael brecwast, eillio, cael cawod a gwisgo. A doedd dim pwynt i mi yrru drwy draffig y bore i fy ngwaith yn swyddfa Gwasanaeth Gwres Canolog y dre. Rôn i'n un o'r meirwon byw bellach, on'd ôn i?

Mae fampirod yn bla yn Nhal-y-bont, fel dach chi'n gwybod, ond doedd dim un ohonyn nhw wedi dod i fy hyfforddi i yn fy ngwaith newydd.

Oedd yr hen ffilmiau'n wir? Beth fyddai'n digwydd pe byddwn i'n tynnu'r llenni? Fyddai pelydrau'r haul yn fy nharo i ac yn fy nhroi i'n bentwr o lwch ar y llawr? Dôn i ddim wedi cael cyfle i ddechrau fy swydd fel gwaedsugnwr a dôn i ddim eisiau gwneud cawl o'r peth yn syth.

Ond, beth i'w wneud drwy'r dydd? Yn yr hen ffilmiau mae'r fampir yn gorwedd yn ei arch ac yn aros am y tywyllwch. Ond, doedd gen i ddim arch.

---

brysio	*(to) rush*	hyfforddi	*(to) train*
eillio	*(to) shave*	pelydr,-au	*ray,-s*
gwasanaeth	*service*	pentwr	*heap*
gwres canolog	*central heating*	llwch	*dust*
		gwaedsugnwr	*bloodsucker*
meirwon byw	*living dead*	gwneud cawl	*(to) make a mess*
pla	*plague*	arch	*coffin*

Doedd dim amdani, felly, ond peidio ag agor y llenni. Cadw'r lle'n dywyll ac aros am y nos gan wylio'r teledu trwy'r dydd. Dim ond rhaglenni garddio, coginio, cwis ac addurno'r tŷ. O na! Stafelloedd lliw afalau gwyrdd ych-a-fi! Fel hyn mae'r meirwon byw yn treulio'u dyddiau!

Mihangel Morgan

---

doedd dim amdani ond — *nothing could be done except*

treulio — *(to) spend (time)*

Atebion

Anrhegion Malcolm (tud. 11)

Mae Siân wedi prynu tedi bach, cryno ddisg Abba, llyfr 'ceir gwych', persawr eillio a sanau i Malcolm.

Wps! Camgymeriadau (tud. 16)

'yn fawd' yn lle 'yn fawr'
'rwyd' yn lle 'fwyd'
'bwystfil' yn lle 'bwyty'
'hwrdd' yn lle 'bwrdd'
'a chysgod' yn lle 'a physgod'
'a thyfu' yn lle 'a llyfu'
'palu' yn lle 'talu'
'rhydu' yn lle 'rhedeg'

Dy dŷ di – Fy nhŷ i (tud. 37)

Angharad a Siarl – Y Plas; Marged a Jac – Diwedd y Daith; Dewi a Heulwen – Rhif saith, Stryd y Rhiw; Gwenan a Gwion – Y Sipsi Fach

Beth ydy'ch adduned chi? (tud. 54)

Kate – rhoi'r gorau i ysmygu
Pat – gweld ei theulu yn fwy aml
James – mynd i'r gampfa
Eirug – darllen mwy o lyfrau

Cawl Gwrachod (tud. 58)

Darllenwch y rysáit, yna darllenwch beth mae'r Wrach Fach yn ei roi yn y cawl. Yn y cawl mae hi'n rhoi 'baw' yn lle 'glaw', 'gwenwyn' yn lle 'gwenyn' a 'tail tarw' yn lle 'dail marw'.